Éditions Flammarion — 87, quai Panhard-et-Levassor, 75647 Paris Cedex 13
Dépôt légal : février 2009 — ISBN : 978-2-0812-2068-3
N° d'édition : L.01EJDN000361.C006
Imprimé en Chine par South China Printing — 02/2012
Loi n°49-956 du 16 juillet 1949 sur les publications destinées à la jeunesse.

Chansons de France

pour les petits

illustrées par
Hervé Le Goff

Père Castor ■ Flammarion

Sommaire

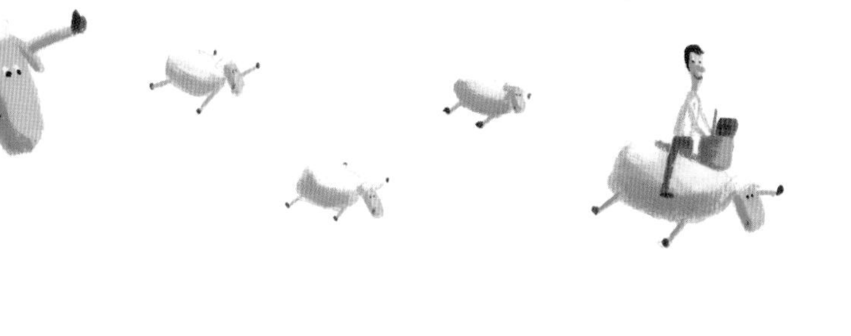

À la claire fontaine

À la claire fontaine,
M'en allant promener,
J'ai trouvé l'eau si belle
Que je m'y suis baignée.

Il y a longtemps que je t'aime,
Jamais je ne t'oublierai.

Sous les feuilles d'un chêne,
Je me suis fait sécher ;
Sur la plus haute branche,
Un rossignol chantait.

Chante, rossignol, chante,
Toi qui as le cœur gai :
Tu as le cœur à rire,
Moi je l'ai à pleurer.

C'est pour mon ami Pierre,
Qui ne veut plus m'aimer,
Pour un bouton de rose
Que j'lui ai refusé.

Je voudrais que la rose
Fût encore au rosier,
Et que mon ami Pierre
Fût encore à m'aimer.

Il pleut, il pleut, bergère

Il pleut, il pleut, bergère,
Presse tes blancs moutons ;
Allons sous ma chaumière,
Bergère, vite, allons.
J'entends sur le feuillage
L'eau qui tombe à grand bruit ;
Voici, voici l'orage,
Voilà l'éclair qui luit.

Entends-tu le tonnerre ?
Il roule en approchant,
Prends un abri, bergère,
À ma droite en marchant.
Je vois notre cabane,
Et tiens, voici venir
Ma mère et ma sœur Anne,
Qui vont l'étable ouvrir.

Bonsoir, bonsoir, ma mère,
Ma sœur Anne, bonsoir ;
J'amène ma bergère,
Près de vous pour ce soir.
Viens te sécher, ma mie,
Auprès de nos tisons.
Sœur, fais-lui compagnie ;
Entrez, petits moutons.

Eh bien ! Voilà ta couche,
Dors-y jusque's au jour ;
Laisse-moi sur ta bouche
Prendre un baiser d'amour.
Ne rougis pas, bergère,
Ma mère et moi, demain,
Nous irons chez ton père
Lui demander ta main.

Trois jeunes tambours

Trois jeunes tambours s'en revenaient de guerre *(bis)*
Et ri et ran, rapataplan,
S'en revenaient de guerre.

Le plus jeune a dans la bouche une rose *(bis)*
Et ri et ran, rapataplan,
Dans la bouche une rose.

La fille du roi était à sa fenêtre *(bis)*

– Joli tambour, donnez-moi votre rose *(bis)*
– Fille du roi, donnez-moi votre cœur *(bis)*
– Joli tambour, d'mandez-le à mon père *(bis)*
– Sire le roi, donnez-moi votre fille *(bis)*
– Joli tambour, tu n'es pas assez riche *(bis)*
– J'ai trois vaisseaux dessus la mer qui brille *(bis)*
– Joli tambour, tu auras donc ma fille *(bis)*

Malbrough s'en va-t'en guerre

Malbrough s'en va-t'en guerre,
Mironton, mironton, mirontaine,
Malbrough s'en va-t'en guerre,
Ne sait quand reviendra. *(ter)*

Il reviendra z'à Pâques,
Mironton, mironton, mirontaine,
Il reviendra z'à Pâques,
Ou à la Trinité. *(ter)*

La Trinité se passe,
Mironton, mironton, mirontaine,
La Trinité se passe,
Malbrough ne revient pas. *(ter)*

Madame à sa tour monte,
Mironton, mironton, mirontaine,
Madame à sa tour monte,
Si haut qu'elle peut monter. *(ter)*

Elle aperçoit son page,
Mironton, mironton, mirontaine,
Elle aperçoit son page,
Tout de noir habillé. *(ter)*

– Beau page, mon beau page,
Mironton, mironton, mirontaine,
Beau page, mon beau page,
Quelle nouvelle apportez ? *(ter)*

– Monsieur Malbrough est mort,
Mironton, mironton, mirontaine,
Monsieur Malbrough est mort,
Est mort et enterré. *(ter)*

J'n'en dis pas davantage,
Mironton, mironton, mirontaine,
J'n'en dis pas davantage,
Car en voilà z'assez. *(ter)*

Nous n'irons plus au bois

Nous n'irons plus au bois,
Les lauriers sont coupés.
La belle que voilà,
La laiss'rons-nous danser ?

Entrez dans la danse,
Voyez comme on danse,
Sautez, dansez,
Embrassez qui vous voudrez !

La belle que voilà,
La laiss'rons-nous danser ?
Et les lauriers du bois,
Les laiss'rons-nous faner ?

Non, chacun à son tour,
Ira les ramasser.
Si la cigale y dort,
Ne faut pas la blesser.

Le chant du rossignol,
Viendra la réveiller.
Et aussi la fauvette,
Avec son doux gosier.

Et Jeanne la bergère,
Avec son blanc panier,
Allant cueillir la fraise,
Et la fleur d'églantier.

Cigale, ma cigale,
Allons, il faut chanter.
Car les lauriers du bois,
Sont déjà repoussés.

Il était une bergère

Il était une bergère,
Et ron et ron, petit patapon,
Il était une bergère
Qui gardait ses moutons, ron ron,
Qui gardait ses moutons.

Elle fit un fromage,
Et ron et ron, petit patapon,
Elle fit un fromage
Du lait de ses moutons, ron ron,
Du lait de ses moutons.

Si tu y mets la patte,
Et ron et ron, petit patapon,
Si tu y mets la patte
Tu auras du bâton, ron ron,
Tu auras du bâton.

Le chat qui la regarde,
Et ron et ron, petit patapon,
Le chat qui la regarde
D'un petit air fripon, ron ron,
D'un petit air fripon.

Il n'y mit pas la patte,
Et ron et ron, petit patapon,
Il n'y mit pas la patte
Il y mit le menton, ron ron,
Il y mit le menton.

La bergère en colère,
Et ron et ron, petit patapon,
La bergère en colère
Tua son p'tit chaton, ron ron,
Tua son p'tit chaton.

Elle fut à son père,
Et ron et ron, petit patapon,
Elle fut à son père,
Lui demander pardon, ron ron,
Lui demander pardon.

– Mon père, je m'accuse,
Et ron et ron, petit patapon,
Mon père, je m'accuse,
D'avoir tué mon chaton, ron ron,
D'avoir tué mon chaton.

– Ma fill', pour pénitence,
Et ron et ron, petit patapon,
Ma fill', pour pénitence,
Nous nous embrasserons, ron ron,
Nous nous embrasserons.

– La pénitence est douce,
Et ron et ron, petit patapon,
La pénitence est douce,
Nous recommencerons, ron ron,
Nous recommencerons.

La légende de saint Nicolas

Ils étaient trois petits enfants
Qui s'en allaient glaner aux champs.

Tant sont allés, tant sont venus,
Que sur le soir se sont perdus.
S'en sont allés chez le boucher :
– Boucher, voudrais-tu nous loger ?

Ils n'étaient pas sitôt entrés
Que le boucher les a tués,
Les a coupés en p'tits morceaux,
Mis au saloir comme des pourceaux.

Saint Nicolas, au bout d'sept ans,
Vint à passer dedans ce champ.
Alla frapper chez le boucher :
– Boucher, voudrais-tu me loger ?

– Entrez, entrez, saint Nicolas,
Y'a de la place, il n'en manque pas.
Il n'était pas sitôt entré
Qu'il a demandé à souper.

– Du p'tit salé, je veux avoir
Qui a sept ans qu'est dans l'saloir.
Quand le boucher entendit ça,
Hors de chez lui il s'enfuya.

– Boucher, boucher ! ne t'enfuis pas,
Repens-toi, Dieu t'pardonnera.
Saint Nicolas alla s'asseoir
Dessus le bord de ce saloir.

– Petits enfants qui dormez là,
Je suis le grand saint Nicolas !
Et le saint étendit trois doigts,
Les petits se lèvent tous les trois !

Le premier dit : " J'ai bien dormi ! "
Le second dit : " Et moi aussi ! "
Et le troisième répondit :
"Je croyais être au Paradis !"

Aux marches du palais

Aux marches du palais *(bis)*
Y'a une tant belle fille, lon la,
Y'a une tant belle fille.

Elle a tant d'amoureux *(bis)*
Qu'elle ne sait lequel prendre, lon la,
Qu'elle ne sait lequel prendre.

C'est un p'tit cordonnier *(bis)*
Qu'a z'eu la préférence, lon la,
Qu'a z'eu la préférence.

Et c'est en la chaussant *(bis)*
Qu'il lui fit sa demande, lon la,
Qu'il lui fit sa demande.

La bell', si tu voulais *(bis)*
Nous dormirions ensemble, lon la,
Nous dormirions ensemble.

Dans un beau lit carré *(bis)*
Orné de toile blanche, lon la,
Orné de toile blanche.

Aux quatre coins du lit *(bis)*
Quatr' bouquets de pervenches, lon la,
Quatr' bouquets de pervenches.

Dans le mitan du lit *(bis)*
La rivière est profonde, lon la,
La rivière est profonde.

Tous les chevaux du roi *(bis)*
Pourraient y boire ensemble, lon la,
Pourraient y boire ensemble.

Nous y pourrions dormir *(bis)*
Jusqu'à la fin du monde, lon la,
Jusqu'à la fin du monde.

Le bon roi Dagobert

Le bon roi Dagobert
Avait sa culotte à l'envers.
Le grand saint Éloi lui dit :
– Ô mon Roi, Votre Majesté
Est mal culottée.
– C'est vrai, lui dit le roi,
Je vais la remettre à l'endroit.

Le bon roi Dagobert
Fumait dans son bel habit vert.
Le grand saint Éloi lui dit :
– Ô mon Roi, votre habit paraît
Aux coudées percé.
– C'est vrai, lui dit le roi,
Le tien est bon, prête-le-moi.

Le roi faisait des vers
Mais il les faisait de travers.
Le grand saint Éloi lui dit :
– Ô mon Roi, laissez aux oisons
Faire des chansons.
– C'est vrai, lui dit le roi,
C'est toi qui les feras pour moi.

Le bon roi Dagobert
Chassait dans la plaine d'Anvers.
Le grand saint Éloi lui dit :
– Ô mon Roi, Votre Majesté
Est bien essoufflée.
– C'est vrai, lui dit le roi,
Un lapin courait après moi.

Le bon roi Dagobert
Avait un grand sabre de fer.
Le grand saint Éloi lui dit :
– Ô mon Roi, Votre Majesté
Pourrait se blesser.
– C'est vrai, lui dit le roi,
Qu'on me donne un sabre de bois.

Le bon roi Dagobert
Voulait s'embarquer sur la mer.
Le grand saint Éloi lui dit :
– Ô mon Roi, Votre Majesté
Se fera noyer.
– C'est vrai, lui dit le roi,
On pourra crier : le roi boit !

Dans les prisons de Nantes

Dans les prisons de Nantes
Il y a un prisonnier *(bis)*
Que personn' ne va voir,
Que la fill' du geôlier.

Elle lui apporte à boire,
À boire et à manger, *(bis)*
Et des chemises blanches
Quand il en veut changer.

Un jour, ell' va le voir,
Et s'est mise à pleurer : *(bis)*
– On dit par toute la ville
Que demain vous mourrez.

– Ah ! S'il faut que je meure,
Déliez-moi les pieds ! *(bis)*
La fille était jeunette,
Les pieds lui a lâchés.

Le prisonnier alerte
Dans la Loire a sauté. *(bis)*
Quand il fut sur la grève,
Il se mit à chanter.

– Vivent les filles de Nantes,
Et la fill' du geôlier ! *(bis)*
Toutes les cloches de Nantes
Se mirent à sonner.

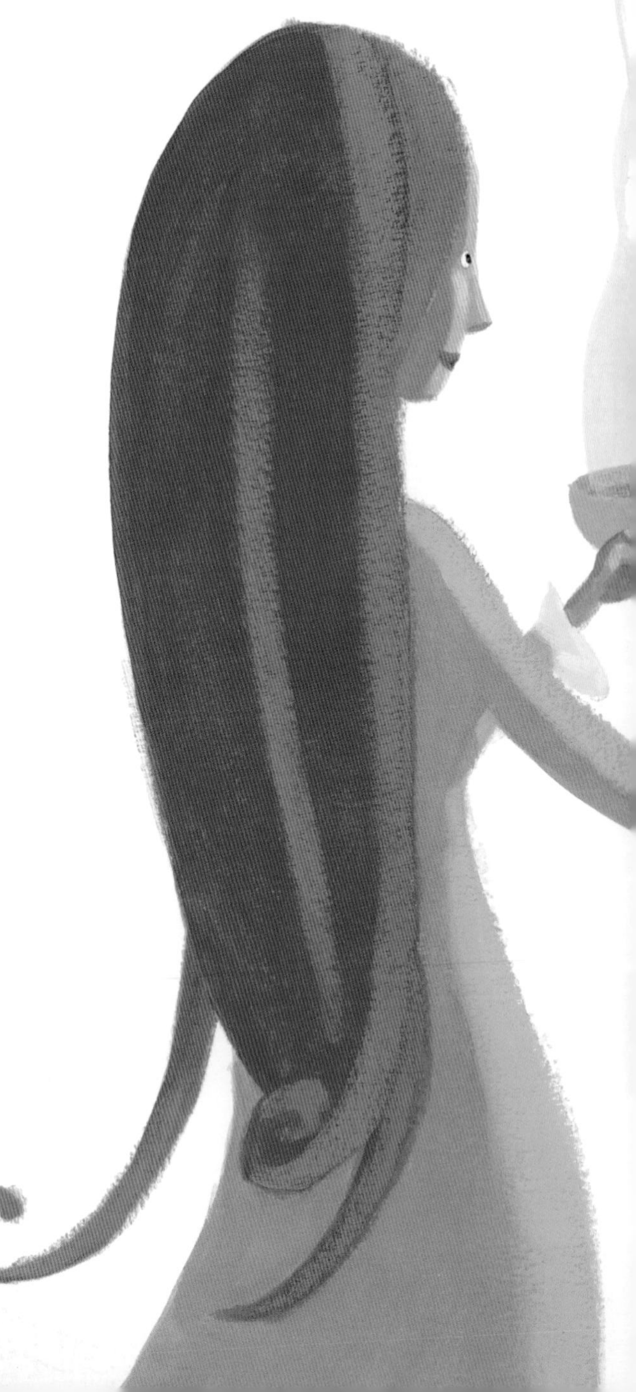

Sur l'pont du Nord

Sur l'pont du Nord, un bal y est donné. *(bis)*
Hélène demande à sa mère à y aller. *(bis)*
– Non, non, ma fille, tu n'iras pas danser. *(bis)*
Monte à sa chambre, et se met à pleurer. *(bis)*
Son frère arrive dans un joli bateau. *(bis)*
– Ma sœur, ma sœur, qu'as-tu donc à pleurer ? *(bis)*
– Maman n'veut pas que j'aille au bal danser. *(bis)*

– Mets ta robe blanche et ta ceinture dorée. *(bis)*
Ils sont montés dans le joli bateau. *(bis)*
Elle fait deux pas, et la voilà noyée. *(bis)*
Il fait trois pas, et le voilà noyé. *(bis)*
La mère demande pourquoi la cloche tinte. *(bis)*
– C'est pour Hélène et votre fils aîné. *(bis)*
Voilà le sort des enfants obstinés. *(bis)*

L'emp'reur, sa femme et le p'tit prince

Lundi matin,
l'emp'reur, sa femme et le p'tit prince
Sont venus chez moi
pour me serrer la pince.
Comme j'étais parti,
Le p'tit prince a dit :
– Puis'que c'est ainsi
nous reviendrons mardi !

Mardi matin…

Mercredi matin…

etc.

Cadet Rousselle

Cadet Rousselle a trois maisons, *(bis)*
Qui n'ont ni poutres, ni chevrons ; *(bis)*
C'est pour loger les hirondelles,
Que direz-vous d'Cadet Rousselle ?

Ah ! Ah ! Ah ! mais vraiment,
Cadet Rousselle est bon enfant.

Cadet Rousselle a trois habits : *(bis)*
Deux jaunes et l'autre en papier gris ; *(bis)*
Il met celui-là quand il gèle,
Ou quand il pleut et quand il grêle.

Cadet Rousselle a trois beaux yeux : *(bis)*
L'un r'garde à Caen, l'autre à Bayeux ; *(bis)*
Comme il n'a pas la vue bien nette,
Le troisième, c'est sa lorgnette.

Cadet Rousselle a trois garçons : *(bis)*
L'un est voleur, l'autre est fripon ; *(bis)*
Le troisième est un peu ficelle,
Il ressemble à Cadet Rousselle.

Cadet Rousselle a marié *(bis)*
Ses trois filles dans trois quartiers. *(bis)*
Les deux premièr's ne sont pas belles,
La troisième n'a pas de cervelle.

Cadet Rousselle ne mourra pas, *(bis)*
Car avant de sauter le pas, *(bis)*
On dit qu'il apprend l'orthographe,
Pour fair' lui-même son épitaphe.

Compère Guilleri

Il était un p'tit homme
Qui s'app'lait Guilleri,
Carabi.
Il s'en fut à la chasse,
À la chasse aux perdrix,
Carabi.
Titi carabi, toto carabo,
Compère Guilleri.
Te laiss'ras-tu, te laiss'ras-tu,
Te laiss'ras-tu mouri' ?

Il s'en fut à la chasse,
À la chasse aux perdrix,
Carabi.
Il monta sur un arbre,
Pour voir ses chiens couri',
Carabi.

Il monta sur un arbre,
Pour voir ses chiens couri',
Carabi.
La branche vint à rompre,
Et Guilleri tombit,
Carabi.

La branche vint à rompre,
Et Guilleri tombit,
Carabi.
Il se cassa la jambe,
Et le bras se démit,
Carabi.

Il se cassa la jambe,
Et le bras se démit,
Carabi.
Les dames de l'hôpital
Sont arrivées au bruit,
Carabi.

On lui banda la jambe,
Et le bras lui remit,
Carabi.
Pour remercier ces dames,
Guilleri les embrassit,
Carabi.

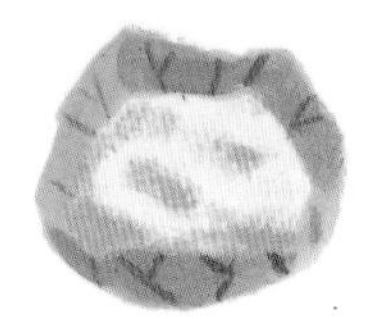

Ah ! tu sortiras, Biquette

Biquette n'veut pas
sortir des choux.

Ah ! tu sortiras,
Biquette, Biquette,
Ah ! tu sortiras
De ces choux-là !

On envoie chercher le chien
Afin de mordre Biquette.
Le chien n'veut pas
Mordre Biquette,
Biquette n'veut pas
Sortir des choux.

On envoie chercher le loup
Afin de manger le chien.
Le loup n'veut pas
Manger le chien,
Le chien n'veut pas
Mordre Biquette,
Biquette n'veut pas
Sortir des choux.

On envoie chercher l'bâton
Afin d'assommer le loup.
L'bâton n'veut pas
Assommer l'loup,
Le loup n'veut pas
...

On envoie chercher le feu
Afin de brûler l'bâton.
Le feu n'veut pas
Brûler l'bâton,
L'bâton n'veut pas
...

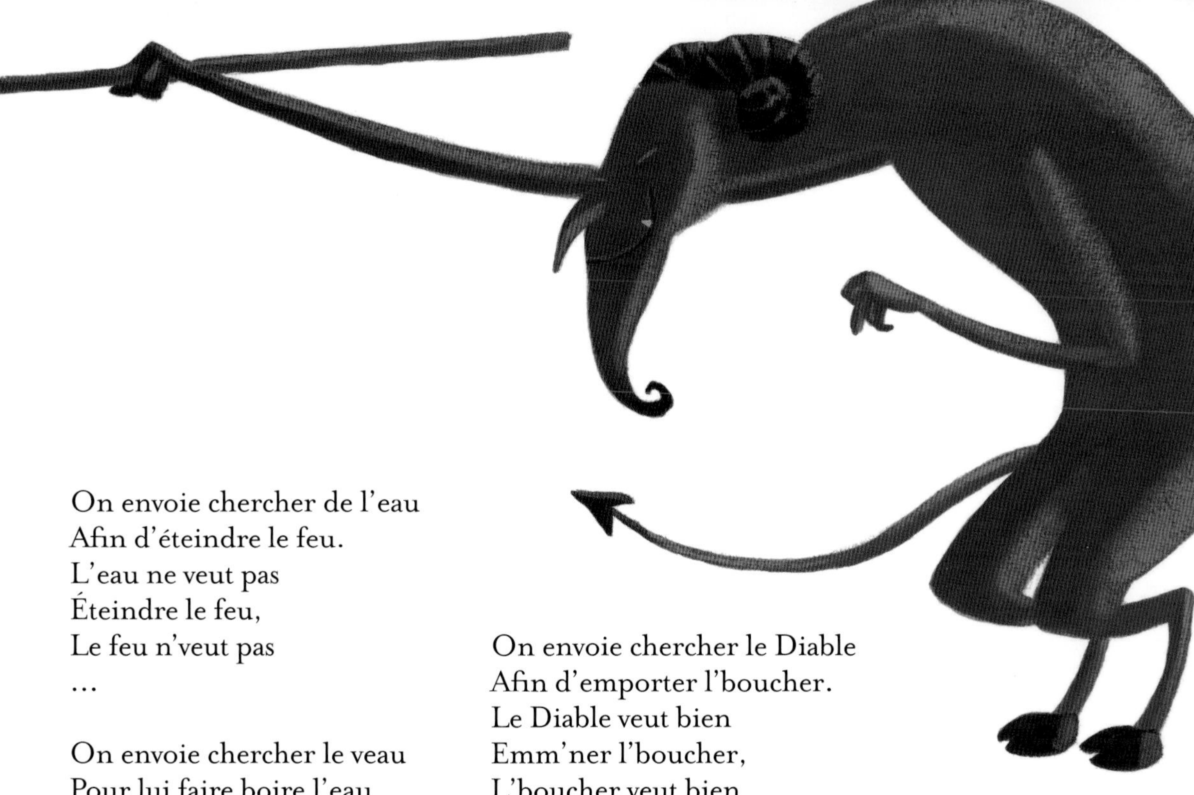

On envoie chercher de l'eau
Afin d'éteindre le feu.
L'eau ne veut pas
Éteindre le feu,
Le feu n'veut pas
…

On envoie chercher le veau
Pour lui faire boire l'eau.
Le veau n'veut pas
Boire de l'eau,
L'eau n'veut pas
…

On envoie chercher l'boucher
Afin de tuer le veau.
L'boucher n'veut pas
Tuer le veau,
Le veau n'veut pas
…

On envoie chercher le Diable
Afin d'emporter l'boucher.
Le Diable veut bien
Emm'ner l'boucher,
L'boucher veut bien
Tuer le veau,
Le veau veut bien
Boir' toute l'eau,
Et l'eau veut bien
Éteindre le feu,
Le feu veut bien
Brûler l'bâton,
L'bâton veut bien
Assommer l'loup,
Le loup veut bien
Manger le chien,
Le chien veut bien
Mordre Biquette,
Biquette veut bien
Sortir des choux.

Ah ! tu es sortie,
Biquette, Biquette,
Ah ! tu es sortie,
De ces choux-ci !

Sur le pont d'Avignon

Sur le pont d'Avignon,
L'on y danse, l'on y danse.
Sur le pont d'Avignon,
L'on y danse tous en rond.

Les beaux messieurs font comme ça,
Et puis encore comme ça.

Les belles dames font comme ça,
Et puis encore comme ça.

Les violonistes font comme ça…

Les trompettistes font comme ça…

Les chefs d'orchestre font comme ça…

Il court, il court, le furet
Le furet du bois, Mesdames.
Il court, il court, le furet
Le furet du bois joli.

Il a passé par ici,
Il repassera par là.

Qu'est-ce qu'il a ?

Savez-vous planter les choux ?

Savez-vous planter les choux,
À la mode, à la mode,
Savez-vous planter les choux,
À la mode de chez nous ?

On les plante avec le doigt,
À la mode, à la mode,
On les plante avec le doigt,
À la mode de chez nous !

On les plante avec les mains…

On les plante avec le pied…

On les plante avec le coude…

On les plante avec le nez…

On les plante avec le g'nou…

On les plante avec le front…

Meunier, tu dors

Meunier, tu dors,
Ton moulin, ton moulin
Va trop vite,
Meunier, tu dors,
Ton moulin, ton moulin
Va trop fort.

Ton moulin, ton moulin
Va trop vite,
Ton moulin, ton moulin
Va trop fort.

Ton moulin, ton moulin
Va trop vite,
Ton moulin, ton moulin
Va trop fort.

La mère Michel

C'est la mère Michel
Qui a perdu son chat,
Qui crie par la fenêtre
Qui est-ce qui lui rendra.
Et l'compère Lustucru
Qui lui a répondu :
– Allez, la mère Michel,
Vot' chat n'est pas perdu !

Sur l'air du tra la la la
Sur l'air du tra la la la
Sur l'air du tra déri déra
Et tra la la.

C'est la mère Michel
Qui lui a demandé :
– Mon chat n'est pas perdu,
vous l'avez donc trouvé ?
Et l'compère Lustucru
Qui lui a répondu :
– Contre une récompense,
Il vous sera rendu.

Et la mère Michel
Lui dit : – C'est décidé,
Si vous m'rendez mon chat
Vous aurez un baiser.
Et l'compère Lustucru
Qui n'en a pas voulu
Lui dit : – Comme un lapin,
Votre chat est vendu.

À la pêche aux moules

À la pêche aux moules,
Je ne veux plus y aller,
Maman !
À la pêche aux moules
Je ne veux plus y aller.

Les garçons de Marennes
Me prendraient mon panier,
Maman !
Les garçons de Marennes
Me prendraient mon panier.

Quand un' fois ils vous tiennent
Sont-ils de bons enfants,
Quand un' fois ils vous tiennent
Sont-ils de bons enfants ?

Ils vous font des caresses,
Des petits compliments,
Ils vous font des caresses,
Des petits compliments.

Mon âne

Mon âne, mon âne a bien mal à sa tête ;
Madame lui fait faire un bonnet pour sa fête.
Un bonnet pour sa fête,
Et des souliers lilas, la la,
Et des souliers lilas.

Mon âne, mon âne a bien mal aux oreilles ;
Madame lui fait faire une paire de boucles d'oreilles.
Une paire de boucles d'oreilles,
Un bonnet pour sa fête...

Mon âne, mon âne a bien mal à ses yeux ;
Madame lui fait faire une paire de lunettes bleues...

Mon âne, mon âne a bien mal à son nez ;
Madame lui fait faire un joli cache-nez...

Mon âne, mon âne a mal à l'estomac ;
Madame lui fait faire une tasse de chocolat...

Alouette

Alouette, gentille alouette,
Alouette, je te plumerai.

Je te plumerai le bec. *(bis)*
Et le bec,
Alouette,
Ah !

Je te plumerai les yeux. *(bis)*
Et les yeux,
Et le bec,
Alouette,
Ah !

Je te plumerai la tête...

Je te plumerai le cou...

Je te plumerai les ailes...

Je te plumerai les pattes...

Je te plumerai la queue...

Je te plumerai le dos...

Au clair de la lune

Au clair de la lune,
Mon ami Pierrot,
Prête-moi ta plume,
Pour écrire un mot.
Ma chandelle est morte,
Je n'ai plus de feu.
Ouvre-moi ta porte,
Pour l'amour de Dieu !

Au clair de la lune,
Pierrot répondit :
– Je n'ai pas de plume,
Je suis dans mon lit.
Va chez la voisine,
Je crois qu'elle y est,
Car dans sa cuisine
On bat le briquet.

Au clair de la lune,
L'aimable Lubin
Frappe chez la brune,
Qui répond soudain :
– Qui frappe de la sorte ?
Il dit à son tour :
– Ouvrez votre porte
Pour le Dieu d'amour.

Au clair de la lune,
On n'y voit qu'un peu :
On chercha la plume,
On chercha du feu.
En cherchant d'la sorte
Je n'sais c'qu'on trouva,
Mais je sais qu'la porte
Sur eux se ferma.

Fais dodo, Colas mon p'tit frère

Fais dodo, Colas mon p'tit frère,
Fais dodo, t'auras du lolo.

Maman est en haut,
Qui fait du gâteau,
Papa est en bas,
Qui fait l'chocolat.

On fait la bouillie,
Pour l'enfant qui crie,
Et tant qu'il criera,
Il n'en aura pas.

Si tu es mignon,
Maman vient bientôt,
Si tu ne dors pas,
Papa s'en ira.

J'ai du bon tabac

J'ai du bon tabac dans ma tabatière
J'ai du bon tabac, tu n'en auras pas.

J'en ai du fin et du bien râpé
Mais ce n'est pas pour ton fichu nez.

J'ai du bon tabac dans ma tabatière
J'ai du bon tabac, tu n'en auras pas.

Une souris verte

Une souris verte
Qui courait dans l'herbe,
Je l'attrape par la queue,
Je la montre à ces messieurs.
Ces messieurs me disent :
– Trempez-la dans l'huile,
Trempez-la dans l'eau,
Et vous aurez un escargot
Tout chaud.

Je la mets dans un tiroir,
Elle me dit :
– Il fait trop noir !
Je la mets dans mon chapeau,
Elle me dit :
– Il fait trop chaud !

Je la mets dans ma culotte,
Elle me fait
Trois petites crottes.
Je la mets dans ma chemise,
Elle me fait
Trois petites bises.